kaat en de

Maria van Eeden
tekeningen van Jan Jutte

◄ ij ▯ ◷ ⊕   Zwijsen

ik ben kaat.
ik vaar in mijn boot.
mijn boot is in de beek.
dim zit er ook in.
ik vaar met dim in de beek.

kijk daar!
daar bij de dijk!
daar is een poes.
poes, poes! roep ik.
ik vaar naar de poes toe.

ik ben bij de dijk.
en mijn boot?
mijn boot is in de beek.
de poes is zoet.
mmm.
een zoen voor de poes.

maar daar is dim ook.
dim doet raar en boos.
dim doet boos naar poes.
dim bijt.
nee, dim, nee!!

ik neem dim beet.
zoet, dim, zoet!
ik roep naar de poes.
ren maar, poes.
ren maar naar de boot.
ren er maar in.

dim is zoet.
maar, kijk daar!
de boot is ver.
oo, de poes zit er in.
keer de boot, poes!
ik moet er ook in!

ik ben bij de dijk met dim.
en met de poes?
nee.
de poes is in de boot.
ik ben sip.

daar is een boer.
ik ren naar de boer toe.
boer, is er een boot?
ik moet naar de poes toe.
een boot, nee!
maar er is een doos.

is een doos een boot?
nee!
maar kijk, daar is oom tijs.
oom tijs, ik zoek een boot.
ik moet naar de poes toe.
de poes is in de beek.

nee, doet oom tijs, nee!
maar er is een net.
neem maar een net mee, kaat.
is een net een boot?
nee!
kijk, daar zijn saar en roos.

saar en roos, ik zoek een boot.
mijn poes is met mijn boot mee.
nee.
er is koek en er is een doek.
maar is er een boot voor mij?
nee!

ik ben boos!
een doos en een net.
en een koek en een doek.
maar ik moet een boot!
poe, ik maak er een.
ik maak een boot met de doos!

ik vis met mijn net in de beek.
kijk, daar is een vis.
er in, vis.
in mijn net!
beet!
er zit een vis in mijn net.

ik maak de doek aan de vis.
ik maak de vis aan mijn doos.
kijk, de doos is een boot.
er is een boot voor mij.
ik moet er ook in.
de koek is voor de vis.

vaar maar, vis.

vaar maar door de beek, vis.

kijk, daar is mijn boot.

en daar is de poes.

vaar naar de poes toe, vis.

vaar naar de poes in de boot.

ik zit in mijn boot met de poes.
ik vaar met de poes.
en dim?
is dim er ook bij?
nee, dim zit in de doos!

Serie 4 • bij kern 4 van Veilig leren lezen

Na 10 weken leesonderwijs:

1. in de soep
Frank Smulders en
Leo Timmers

2. een zoen voor kip
Marianne Busser &
Ron Schröder en
Marjolein Pottie

3. kaat en de boot
Maria van Eeden en
Jan Jutte

4. ik ben de baas
Anneke Scholtens en
Pauline Oud

5. tijn en toen
Ivo de Wijs en
Nicolle van den Hurk

6. beer is een boot
Anke de Vries en
Alice Hoogstad

7. boer koen
Martine Letterie en
Marjolein Krijger

8. sep en saar
Brigitte Minne en
Ann de Bode